W. EUGENE SMITH

W. EUGENE

SMITH

I GRANDI
FOTOGRAFI

Gruppo
Editoriale
Fabbri

"FOTOGRAFIA UNA DEBOLE VOCE..."

di William S. Johnson

W. Eugene Smith

William Eugene Smith nacque il 30 dicembre 1918, secondo figlio del direttore generale di una grande compagnia di molitura a Wichita, nel Kansas, ed esperto di commercio internazionale. La famiglia era "come si deve" e Gene, bambino privilegiato, fu incoraggiato a coltivare l'hobby della fotografia fin da ragazzino. Ben presto cominciò a fare foto sportive e di avvenimenti per la sua scuola, per un certo numero di organizzazioni e perfino per i giornali locali. Fin dall'inizio la fotografia portò a W. Eugene Smith un certo successo, la notorietà e una sensazione di realizzazione.

Ma mentre Gene aveva successo, le fortune della famiglia andavano scemando. La Grande Depressione distrusse il padre, che si sparò proprio quando Gene si stava diplomando alla scuola superiore. Con un futuro incerto davanti, Gene frequentò per un po' di tempo l'università, ma sentiva forte il desiderio di fare il fotoreporter. Nel dicembre del 1936 scrisse alla madre una lettera che rifletteva il credo di una nuova stimolante rivista illustrata, *Life*. «La mia posizione nella vita consiste nel catturare l'azione della vita, la vita del mondo, il suo lato comico, le sue tragedie, in altre parole la vita così com'è. Un'immagine vera, immediata e reale... in questo sta la mia ambizione. Ho davanti lunghi anni, probabilmente anni difficili, ma che importa, se posso riuscire?» A febbraio: «A quanto pare la fotografia è l'unico genere di vita in cui potrei essere felice, e ho intenzione di starci dentro... Ho deciso. Vado a New York appena possibile...»

E a vent'anni aveva un contratto per lavorare due settimane al mese per la prestigiosa *Life*. Ma nel 1943, mentre gli Stati Uniti si preparavano a entrare in guerra, Smith era insoddisfatto del suo lavoro, pagatissimo, e cercava attivamente di farsi mandare oltremare come corrispondente di guerra. A metà dello stesso anno ebbe quell'incarico dalla rivista *Flying* e partì per il Pacifico Meridionale.

Nelle sue lettere dal fronte, che mandava alla famiglia quasi tutti i giorni, Smith rivela una personalità di grande intensità — finanche di una certa ingenuità. Aveva una sua concezione, non rigidamente definita ma sentita con forza, della natura del bene e del male, di ciò che è giusto e di ciò che non lo è. I suoi valori corrispondevano grosso modo a quelli della tradizione umanistica occidentale con un forte senso del valore dell'individuo e della missione di migliorare la condizione umana sulla terra. Era impegnato a fondo nella riforma sociale, ma aveva scarso interesse per l'ideologia o anche per la politica. Era al tempo stesso pieno di intenso patriottismo e alieno dal nazionalismo. Era preoccupatissimo di "perdersi l'azione" della guerra, ma cominciava anche ad avere dei seri dubbi sulla giustezza del conflitto. E proprio vivendo entro il mondo dei mezzi di comunicazione di massa, sentiva sempre più forte la diffidenza nei confronti della propaganda bellica ufficiale.

A Smith fu assegnato il compito di seguire la guerra navale dalla portaerei *U.S.S. Bunker Hill*. Le prime fotografie di un combattimento vero e proprio le fece quando la sua nave venne attaccata nel novembre del 1943. Smith dovette combattere anche una sua battaglia personale contro i regolamenti navali e la burocrazia per ottenere il permesso di volare sui bombardieri durante le loro missioni. Ma Smith voleva catturare il "senso reale della guerra". Sapendo che il solo modo di guadagnarsi l'accesso ai combattimenti a terra passava attraverso la potente *Life*, firmò un contratto con quella rivista.

Alla fine del giugno del 1944, Smith si trovò a fotografare la battaglia di Saipan. Centinaia di civili e i resti delle forze giapponesi si erano nascosti nelle caverne dell'isola, senza l'acqua e il cibo sufficienti. Smith fotografò l'evacuazione. Scris-

e le sue impressioni in un manoscritto mai pubblicato «... piano piano da una
caverna si sporse il viso abbagliato di un vecchio. Poi cominciarono a venir fuori
gli altri — ma oh! con che lentezza, e che pena facevano mentre emergevano dal
fumo — deboli, nauseati dal fumo, con le budella contratte dalla paura che ave-
ano di noi — e della loro probabile sorte. Bimbi minuti sulle spalle delle madri,
bambini più grandi, padri, nonni — altrettanti grumi umani di terrore e di spa-
ventosa debolezza — giovani e vecchi completamente senza speranza».

Dopo Saipan seguì l'invasione di Guam alla fine di luglio. Il 13 agosto scrisse:
«... un uomo che si butta nel combattimento solo per dimostrare il suo coraggio
non merita di vivere, e un fotografo che ha accettato di riprendere la guerra e
rimane lontano dalla linea del fronte non merita il titolo di corrispondente di
guerra. Mi sembra pazzesco fare diecimila miglia per fare la cronaca di una guerra e poi fermarsi a un miglio dalla linea del fuoco...». E il 3 settembre mandò
alla famiglia una lettera amara, confusa: «Con disgusto e una sensazione di amaro
in bocca, la scena mi ha riportato a casa — ma con tutta la fortuna della mia
nascita americana, la mia gente potrebbe essere questa gente, i miei bambini po-
trebbero essere questi bambini — Maledetti coloro che vogliono le guerre!... Per
la maggior parte di questa gente a pezzi gli Stati Uniti non sono che un nome —
magari un nome da odiare. E quelli che dicono loro di odiare (quando non avrebbero motivo di odiare) — quelli sono coloro che vogliono le guerre. Ogni foto-
gramma che ho scattato veniva dal cuore, con tutta l'amarezza della condanna
della guerra».

Giuramento di Allegiance alla bandiera americana,
New Jersey (?) 1940 ca.

Quindi fotografò l'invasione delle Filippine. Ai primi di novembre sbarcò a Leyte: «Con gran cura, lentamente, ho lavorato e sudato e ho messo insieme un servizio su un ospedale, che per me è uno dei miei migliori servizi sulla guerra». La
storia di un ospedale militare temporaneamente alloggiato nella cattedrale cattolica di Leyte era incentrata sulla tragedia del conflitto e sulla speranza di salvezza
spirituale e fisica e sul desiderio di pace. Pubblicato a Natale, il servizio suscitò
le speranze di molti, data l'ampia diffusione che ebbe negli Stati Uniti.

Il 19 febbraio 1945, Smith si unì alle truppe anfibie che sbarcarono a Iwo Jima.
Fotografò quella feroce battaglia durata un mese, rischiando spesso la vita mentre
faceva alcune delle più indimenticabili fotografie di tutta la seconda guerra mon-
diale. Ciononostante, considerò il suo lavoro qui un fallimento: «Sono furioso con
me stesso — e mi vergogno».

In aprile fotografò il feroce combattimento di Okinawa. Smith sembrava preda di
un impulso violento, si esponeva a pericoli sempre maggiori. *Life* gli chiese un
servizio su "ventiquattro ore della giornata lavorativa di un soldato di fanteria".
Il 21 maggio cominciò a riprendere il soldato semplice Terry Moore che si prepa-
rava a entrare in combattimento. Circa ventitré ore dopo, il 22 maggio, Smith
corse un rischio di troppo: una scheggia di mortaio gli fracassò la macchina, la
mano sinistra e la mandibola, e pose fine bruscamente alla sua registrazione.

Al rientro dalla guerra, Smith era un eroe. Lui stesso era pieno di sentimenti
contrastanti su tutto ciò — sospettoso come sempre nei confronti degli unanimi-
smi e delle mezze verità. Gradatamente decise di utilizzare il prestigio e l'autorità
che si era conquistato per tentare di introdurre nel campo del fotogiornalismo
una forza morale per creare un mondo migliore. Non appena la salute glielo per-
mise, cominciò la sua battaglia decennale a favore di una stampa responsabile,
moralmente impegnata e più accorta. Questo impulso era condiviso da molti altri,
i suoi ideali confermavano e allargavano una ideologia che sarebbe stata comune
a diverse generazioni di fotografi del dopoguerra. Ma Smith fu spinto a portare

quegli ideali a conseguenze più estreme — mettendo a repentaglio la sua occupazione, la salute, lo stesso equilibrio mentale pur di raggiungere ciò in cui credeva. Gli ci vollero circa due anni per guarire dalle ferite tanto da poter riprendere a fotografare. La prima foto che fece dopo la guerra fu quella dei suoi bambini che camminano tra gli alberi, a cui dette il titolo "La passeggiata al giardino del Paradiso" (*The Walk to Paradise Garden*).

In occasione di un'esposizione delle sue fotografie di guerra al New York Camera Club nel 1946, Smith diede voce ai suoi sentimenti contro la guerra: «Non credo che immagini come queste abbiano bisogno di didascalia. A chi diavolo importa se si tratta di Iwo Jima, di Okinawa o della Normandia — i morti sono morti, e il crimine è stato commesso». Nelle interviste e negli scritti ha continuamente insistito sull'uso morale del fotogiornalismo: «La mia intenzione era fare un insieme di fotografie tali che quando la gente le vedeva potesse dire: 'Questa è la guerra' — tali che la gente che c'era, in guerra, potesse pensare che io avevo catturato con fedeltà quello che loro avevano sopportato... Ho lavorato nell'idea che la guerra sia una cosa orrenda. Voglio continuare a fare quello che ho cercato di realizzare con queste immagini. La guerra è un mondo concentrato dove certe cose si vedono più chiaramente e più lucidamente. I pregiudizi razziali, per esempio, la povertà, l'odio e l'intolleranza, sono tutti fenomeni che nella vita civile si disperdono e non si possono determinare con la stessa facilità che in guerra...

La fotografia è un mezzo di espressione potente. Usata adeguatamente è di grande potenza per il miglioramento e la comprensione. Usata male, ha causato e causerà molti guai... Il fotografo ha la responsabilità del suo lavoro e degli effetti che ne derivano... La fotografia per me non è semplicemente un'occupazione. Portando una macchina fotografica, io porto una fiaccola...»

Dopo qualche esitazione, Smith decise di continuare a lavorare per *Life* e *Life* era un'organizzazione editoriale di grandi dimensioni, fortemente strutturata e accentrata, parte dell'impero giornalistico di Henry R. Luce, fondatore anche di *Time* e *Fortune*. I maggiori fotografi di *Life* venivano trattati con grande rispetto ma non avevano potere reale all'interno dell'organizzazione. Ci si aspettava dai fotografi che accettassero incarichi su ogni genere di soggetto, che producessero in fretta e bene fotografie piene di informazioni, interessanti e magari anche belle, e che quindi passassero queste foto ai redattori e agli impaginatori che avrebbero sviluppato un servizio fotografico finito per la rivista. Smith sentiva con molta chiarezza che il fotografo doveva fare di tutto per vedere che queste foto fossero disposte nel modo più accurato possibile in stampa. E questo voleva dire che il fotografo doveva per lo meno collaborare all'impaginazione degli articoli.

Queste certezze condussero Smith a un sostanziale e irrecuperabile scontro di opinioni con le norme organizzative di *Life*. Anche se Smith aveva una posizione più elevata e una maggiore libertà nell'organizzazione che non prima della guerra, gli veniva ugualmente richiesto spesso di eseguire incarichi secondari, di routine. Dal 1946 al 1952 Smith fece una cinquantina di servizi fotografici, la maggior parte dei quali di argomento banale o insignificante. Per ironia, la potenza e i soldi di *Life* fornirono a Smith libertà economica, assistenza qualificata, accesso ai soggetti e una tribuna ineguagliabile da cui mostrare la sua arte.

Smith considerava ogni incarico una sfida a trasformare un'abilità professionale in una creazione artistica e in una rivelazione giornalistica. La sua ambizione era, né più né meno, sollevare la sua professione di fotogiornalista al livello dell'arte — di più: a quello di un'arte delle più alte dimensioni morali. È sorprendente vedere come abbia raggiunto perfettamente questo obiettivo.

Da "Pittsburgh". 1955-56.

Nel 1948 Smith fotografò le attività quotidiane di un medico di una cittadina di montagna del West — non era un'idea nuovissima. Eppure, il "Medico di paese" (*Country Doctor*) di Smith istituì una nuova dimensione di realismo nel racconto fotografico. Il suo umanesimo propositivo aiutava ad aprire nuovi indirizzi per il saggio fotografico di tipo umanistico.

Nel 1951 Smith fu mandato a Londra per seguire le elezioni inglesi, e di lì in Spagna. Il regime di Franco aveva cominciato a lasciare entrare dei giornalisti stranieri nel paese per la prima volta dal 1939. Dopo due mesi e più di diecimila chilometri in giro per la Spagna, Smith decise di concentrare il suo lavoro sulla cittadina di Deleitosa. "Villaggio spagnolo" (*Spanish Village*) studia una cultura e un modo di vita ancora legati ai ritmi della crescita e della raccolta dei prodotti agricoli, un popolo vincolato alla dura fatica fisica. Le potenti fotografie di Smith e i testi del suo servizio attrassero sia il grande pubblico sia la critica.

Nel 1951 Smith passò alcune settimane nel Sud degli Stati Uniti fotografando l'attività di Maude Callen (*Nurse Midwife*), una infermiera levatrice di colore che si era dedicata a portare salute, cura e benessere a migliaia di individui in un'area prevalentemente rurale e povera. Il ritratto di Maude fatto da Smith affermava pacatamente il coraggio di una figura umana di fronte alla discriminazione, al fanatismo e alla povertà. Il fotografo fu talmente toccato dalla dedizione, dall'abilità e dal carattere della donna, che parlava di lei definendola "la persona più grande che io abbia mai conosciuto".

Da *Andrea Doria*, 1956

Dal 1952 al 1954 Smith lavorò solo a otto incarichi di *Life* e ne portò a termine soltanto sei. La sua posizione a *Life* era tesa per la frustrazione, le ansie e la confusione. Alla fine, nel 1954, dopo lunghe discussioni sul modo in cui dovesse essere presentato "Un uomo di carità" (*A Man of Mercy*), un servizio sul Dr. Albert Schweitzer in Africa, Smith si dimise da *Life*.

Nel 1955 Smith si unì alla Magnum. Accettò l'incarico di fare alcune centinaia di foto di Pittsburgh, la città americana dell'industria pesante. Doveva illustrare uno dei capitoli di una storia della città che lo storico Stefan Lorant veniva preparando. Ben presto andò di molto al di là dei termini originari, anche finanziari, dell'incarico, arrivando a scattare migliaia di fotografie nel tentativo di catturare la complessità di una grande città industriale. Lavorò quasi a tempo pieno per due anni e fece circa settemila prove di stampa da quindicimila negativi. Cominciò a questo punto a produrre le duemila immagini che per lui costituivano il "suo" servizio su Pittsburgh. Studiando e ristudiando in continuazione un numero infinito di combinazioni e possibilità, cominciò ad attribuire un valore e un significato enormi al completamento del progetto. Stava dando troppa importanza alla riuscita di questo primo servizio post-*Life*. Finalmente nel 1958, tre anni dopo l'inizio del "piccolo" progetto, Smith pubblicò la sua versione del servizio: ottantotto fotografie su trentadue pagine nel *1959 Photography Annual*.

Ebbe scarso rilievo. Smith ammise la sconfitta in una lettera al direttore dell'annuario: «Oggi devo affrontare non soltanto il fallimento del mio sforzo, ma anche il prezzo che ho pagato e pagherò per questo sforzo... Peggio, è stato sconfitto — si è sconfitto da sé — lo sforzo di una rivoluzione... Non ho avuto la forza di finire il Progetto Pittsburgh...». Il servizio rimane comunque un'eccezionale registrazione della visione di un singolo artista di quella città, e l'esempio di uno sforzo eroico per allargare la forma del racconto fotografico portandolo alle nuove dimensioni del reportage sociale e della poesia.

Smith si era inselvatichito per quasi tre anni esaurendo le sue risorse finanziarie e la sua salute fisica ed emotiva. La sua vita familiare era diventata un disastro, la sua carriera non andava avanti, i suoi sentimenti si trovavano in uno stato caotico. Nel 1957 lasciò la famiglia e si trasferì in un solaio attrezzato a studio nella zona commerciale di Manhattan. Quel sudicio edificio mezzo in rovina ospitava un negozio di ferramenta al piano terra, agli altri piani un compositore di jazz, un pittore e un cineasta.

Smith visse e lavorò in quella soffitta, con qualche interruzione, per tutto il decennio seguente — e divenne parte integrante di quell'ambiente duro, faticoso ma stimolante, costituito dagli artisti delle soffitte di New York City della fine degli anni cinquanta. Cool jazz, scrittori della *beat generation* e la scuola newyorkese di pittura astratta costituivano gli altri componenti di quell'ambiente, che provocò un impatto culturale di dimensioni mondiali. Gli artisti di quest'ambiente spesso rifiutavano i valori di un paese infestato dalla segregazione e dalla discriminazione razziale, dalle paure e dalle repressioni della guerra fredda, e dalla possibilità di un conflitto nucleare; erano spesso sfiduciati, chiusi in se stessi, sprezzanti delle gratificazioni della vita della *middle-class* americana. Smith visse e partecipò in questo ambiente e in quest'etica, con il loro duro marchio di energia creativa che spesso si esauriva, bruciata, spingendolo oltre, all'alcool e all'anfetamina. Durante questo "periodo intenso, creativo," sentì che stava sviluppando "... un meraviglioso senso di espansione interiore a vedere e a capire...".

La sua arte continuò a evolversi. Ma mentre questo fu forse un periodo di grande espansione nella vita creativa di Smith, la sua carriera professionale e la sua reputazione pubblica stavano subendo un calo. Continuò a mantenersi con incarichi commerciali temporanei, che ebbero scarsa importanza nello sviluppo della sua arte. (La principale eccezione fu costituita dal viaggio che fece ad Haiti alla fine del 1958 e nel 1959 per documentare l'organizzazione di un programma psichiatrico e la costruzione di una clinica psichiatrica sull'isola). Ma questi lavori non furono mai sufficienti a coprire le spese.

Nel dicembre del 1960 Smith ricevette la visita di Richard Okamoto, uomo di *public relations*, che suggerì a Smith di andare in Giappone per tre mesi a fotografare la gigantesca società industriale Hitachi per una specie di "rapporto annuale". A Smith l'offerta dovette sembrare una sospensione della pena. Parve che questo potesse rappresentare l'occasione più importante per fargli riprendere la carriera. Smith e la sua compagna Carole Thomas arrivarono finalmente in Giappone nel settembre del 1961. Come sempre, lavorò ben oltre il periodo preventivato inizialmente — e rimase in Giappone per quasi un anno intero. Ancora una volta aveva preso un incarico e un soggetto con un campo limitato — il rapporto annuale di un'industria — e con la forza della sua volontà, della sua energia e creatività, aveva trasformato questa piccola opportunità in una testimonianza della sua fede nella fondamentale umanità della persona.

Durante i rimanenti anni sessanta Smith fu coinvolto in un certo numero di altri progetti, ma la gran parte di essi si rivelarono una delusione. Passò più di un anno cercando di fare una rivista di fotografia intitolata *Sensorium*: perse l'appoggio finanziario prima della pubblicazione. Lavorò come special editor per la rivista *Visual Medicine*: chiuse. Passò anche qualche tempo a fotografare diverse manifestazioni popolari di protesta contro la presenza americana in Vietnam. Nel 1968 firmò un contratto con Aperture per una monografia sulla sua opera. Si buttò nello stremante, sfiancante sforzo di mettere insieme un'esposizione complessiva della sua carriera. *W. Eugene Smith: His Photographs and Notes* uscì nel 1969. Fu presto seguito dall'offerta, fattagli tramite Cornell Capa, di tenere una grossa esposizione retrospettiva *Let Truth Be the Prejudice*, al museo ebraico di

ew York. Smith mobilitò tutte le sue risorse per organizzarla e quest'attività
ccupò quasi tutto il suo tempo fino al 1971.

el 1970 arrivò alla soffitta di New York una giovane donna americana-giappo-
ese, Aileen Mioko Sprague, rimase ad aiutarlo a completare la sua importante
etrospettiva e diventò la sua seconda moglie. Nell'autunno arrivò Kazuhiko Mo-
mura, della casa editrice Yugensha, che gli propose di portare la grande esposi-
one in Giappone. Suggerì a Smith di andare anche lui in Giappone, magari di
manerci qualche mese per fotografare la città di Minamata, dove alcuni abitanti
stavano battendo per farsi indennizzare per una terribile malattia provocata dal-
inquinamento proveniente da un'industria chimica.

li Smith si trasferirono a Minamata e cominciarono un progetto di tre anni per
artecipare e documentare la lotta delle vittime della malattia. Presto le loro ap-
assionate e potenti fotografie presero a illustrare articoli e mostre sul problema
i Minamata in Giappone e in tutto il mondo. Le fotografie trasmettevano più di
uanto non facessero i resoconti della stampa e le complesse tabelle statistiche.
Iostravano immediatamente, con un impatto fortissimo, la dimensione umana di
uegli avvenimenti, la tragica distruzione delle vite, la pena e l'immenso tranquil-
) coraggio di quella gente che viveva all'ombra della "statistica".

a quei tre anni di dura fatica seguirono altri due anni di lavoro per mettere assie-
ie il libro *Minamata*, pubblicato prima negli Stati Uniti nel 1975 e poi in Giap-
one nel 1980. Il libro richiamò l'attenzione di tutto il mondo. Con *Minamata*
mith recuperò quell'enorme massa di pubblico che aveva perduto quando aveva
asciato *Life* tanti anni prima. Cosa ancora più importante per Smith, *Minamata*
ece conoscere a milioni di persone in tutto il mondo la realtà del pericolo e i
uasti tragici dell'inquinamento industriale.

«La fotografia è una debole voce — scriveva Smith — al massimo, ma qualche
olta, solo qualche volta, una fotografia o un gruppo di foto possono richiamare i
ostri sensi verso la coscienza in qualcuno, le fotografie possono provocare delle
mozioni così forti da fungere da catalizzatori per il pensiero. Qualcuno, o magari
nolti di noi possono essere spinti ad ascoltare la ragione, a trovare un modo per
addrizzare ciò che è torto, e possono perfino essere chiamati a quella dedizione
ecessaria a identificare la cura per una malattia. Gli altri possono magari avver-
ire una sensazione di maggior comprensione e compassione nei confronti di colo-
o la cui vita è estranea alla nostra. La fotografia è una debole voce. È una voce
mportante nella mia vita, ma non è l'unica. Io ho fiducia in essa. Se è ben conce-
)ita, a volte funziona. È per questo che io, come Aileen, ho fatto le fotografie di
Minamata».

Smith, ammalato, si impegnò in una lunga e stancante serie di interviste, appari-
ioni in programmi televisivi, conferenze e seminari nel corso dei due anni suc-
:essivi. Nel 1977 accettò l'offerta di una cattedra all'università dell'Arizona e vi
i trasferì a novembre. Doveva insegnare nei corsi di fotografia, organizzare l'e-
1orme e disorganizzata massa di materiale che rappresentava il lavoro di tutta una
rita, e dar vita al suo sogno tanto rimandato di una rivista seria di fotografia, e
scrivere un libro autobiografico. A dicembre, però, Smith fu colpito da un attacco
quasi fatale. Durante l'anno successivo ebbe una ripresa, faticosa ma sorprenden-
e. Sebbene gravemente danneggiato dal colpo, tentò caparbiamente di continuare
suoi molti progetti, spingendosi sempre più oltre i limiti della sua forza. Alla
ine, il 15 ottobre 1978, fu colpito da un secondo attacco, questa volta fatale.
Smith morì così come era vissuto, pretendendo da se stesso più di quanto gli altri
i aspettassero che potesse dare.

*"La fotografia è una debole
voce, al massimo, ma
qualche volta, solo qualche
volta, una fotografia può
richiamare i nostri sensi
verso la coscienza"*

Gruppo d'assalto navale americano nel Pacifico Meridionale, 1943

Soldato giapponese morto dopo l'invasione di Tarawa da parte dei marines americani, novembre 1943

Civili giapponesi, madre e figlio, escono dalla caverna in cui si erano rifugiati dopo l'invasione di Saipan, giugno 1944

Marines americani si fermano sotto il fuoco. Battaglia per Saipan, giugno 1944

Bambino giapponese ferito, trovato dai marines americani durante l'evacuazione dei civili, morto prima di raggiungere l'ospedale di Saipan, giugno 1944

In un ospedale provvisorio nella cattedrale cattolica di Leyte, nelle Filippine, fedeli filippini e feriti americani si trovano fianco a fianco, novembre 1944

La squadra guastatori della U.S. Marine mentre fa saltare una caverna sulla Collina 382, Iwo Jima, marzo 1945

Un soldato che per la ferita alla testa non può prendere la morfina, prega perché diminuisca il dolore,
Okinawa, 19 aprile 1945

In un feroce combattimento per "Vetta Orizzonte", un ufficiale americano dà ordini alle sue truppe,
Okinawa, 19 aprile 1945

Un padre consola la moglie mentre il figlio viene portato allo studio del dottore in seguito al calcio di un cavallo. Da "Medico di paese", *Life*, 20 settembre 1948

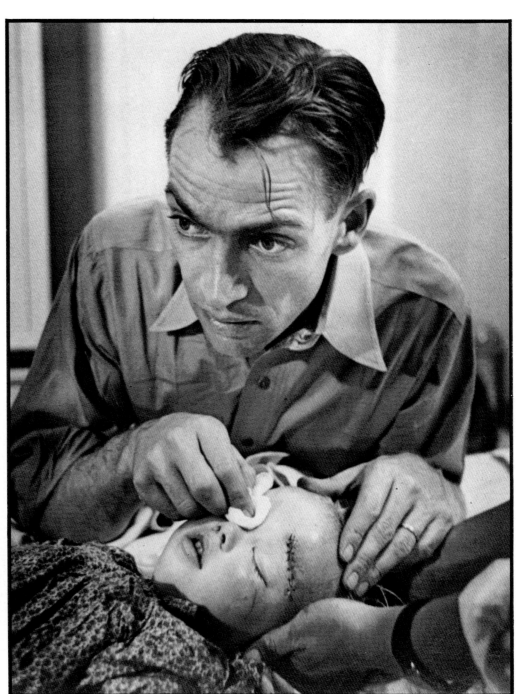

Il dottor Ceriani riflette su come dire ai genitori che il bambino perderà la vista da un occhio per il calcio del cavallo. Da "Medico di paese"

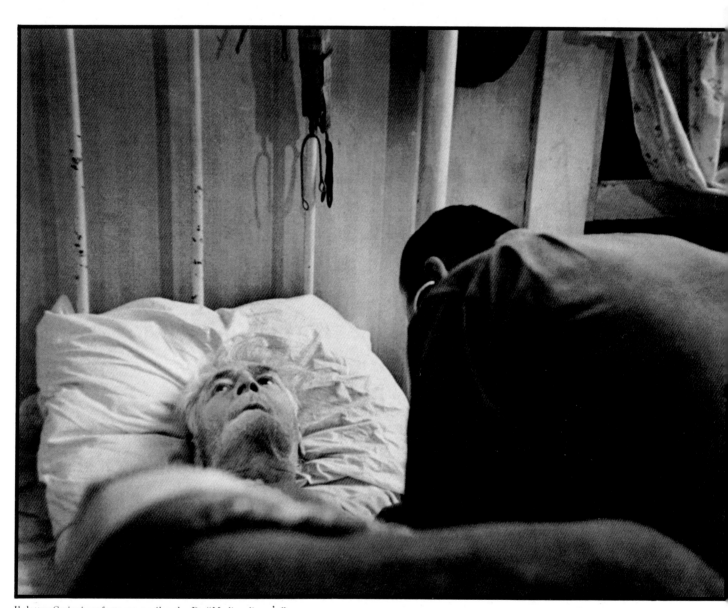

Il dottor Ceriani conforta un moribondo. Da "Medico di paese"

Il dottor Ceriani si rilassa con una tazza di caffè dopo aver lavorato tutta la notte a casi urgenti. Da "Medico di paese"

La Guardia Civil. Da "Villaggio spagnolo", *Life*, 9 aprile 1951

Donne che setacciano il grano. Da "Villaggio spagnolo"

Il "Villaggio spagnolo" di Deleitosa

La pesa delle mele. Da "Villaggio spagnolo"

Madre e figlio. Da "Villaggio spagnolo"

Contadino in casa. Da "Villaggio spagnolo"

Contadini in casa. Da "Villaggio spagnolo"

"Veglia spagnola". Da "Villaggio spagnolo"

Partecipanti alla veglia. Da "Villaggio spagnolo"

L'arrivo del pane. Da "Villaggio spagnolo"

"La filatrice". Da "Villaggio spagnolo"

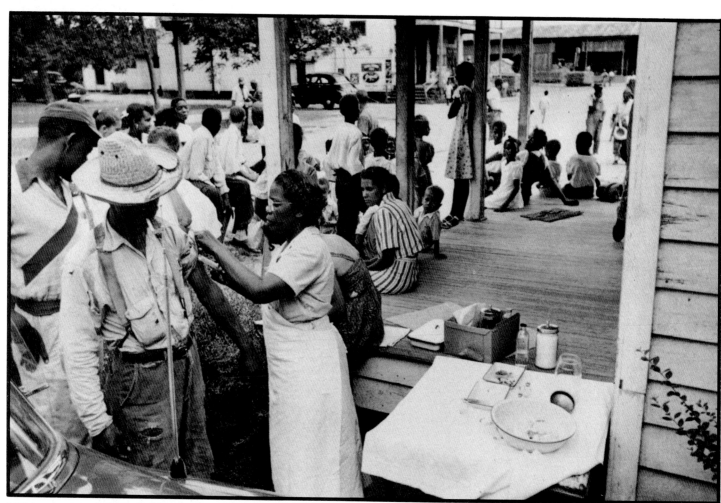

L'"infermiera levatrice" Maude Callen vaccina una lunga fila di persone in una piccola città del South Carolina, *Life*, 9 aprile 1951

Maude Callen consola un ammalato nella sua casa. Da "Infermiera levatrice"

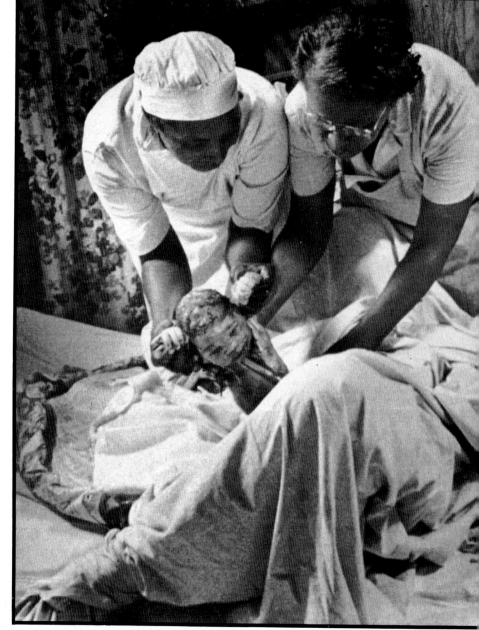

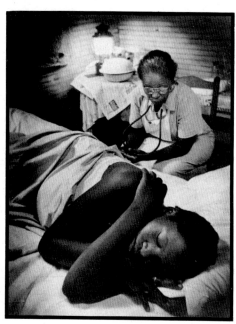

Maude Callen assiste una donna con le doglie a casa sua. Da "Infermiera levatrice"

Maude Callen assiste un parto. Da "Infermiera levatrice"

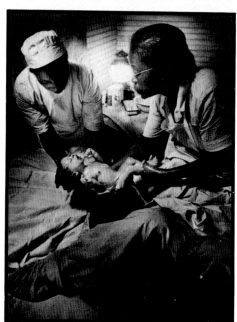

Maude Callen assiste un parto. Da "Infermiera levatrice"

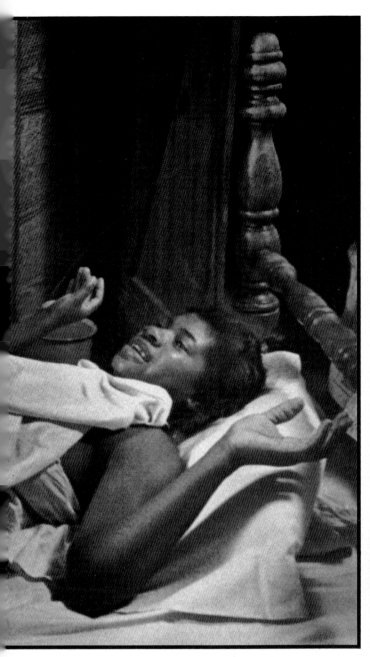

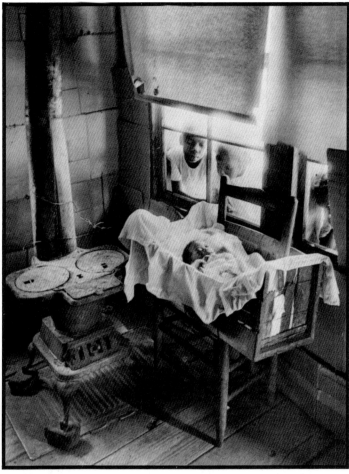

Bambini osservano il neonato che ha una culla fatta di una semplice scatola di legno. Da "Infermiera levatrice"

Maude Callen dà un "bel vestito" a due giovani amiche. Da "Infermiera levatrice"

Il "corso principale" di Lambaréné, villaggio-ospedale di Albert Schweitzer. Da "Un uomo di carità", *Life*, 15 novembre 1954

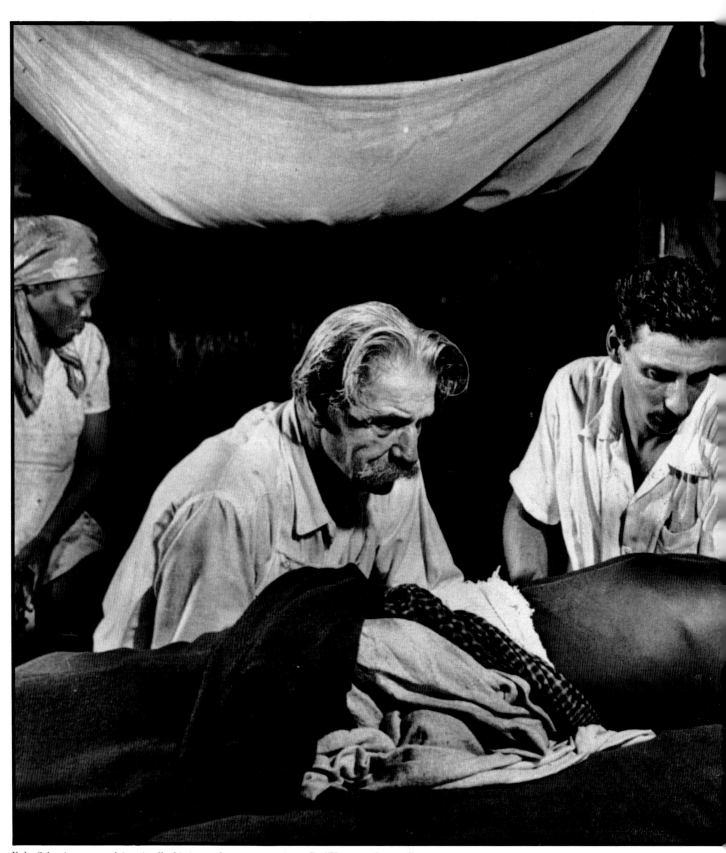

Il dr. Schweitzer e uno dei suoi colleghi si consultano su un paziente. Da "Un uomo di carità"

Il dr. Schweitzer e uno dei suoi lavoratori sostano durante
i lavori di una costruzione. Da "Un uomo di carità"

Il dr. Schweitzer alla scrivania. Da "Un uomo di carità"

Una donna trasporta stoviglie, Lambaréné. Da "Un uomo di carità"

Palizzata. Da "Un uomo di carità"

Donna in lutto. Da "Un uomo di carità"

Palizzata. Da "Un uomo di carità"

Membri del Ku Klux Klan, North Carolina 1951

Riunione del Ku Klux Klan, 1951

Membri del Ku Klux Klan accendono una "croce ardente", 1951

Scavi per una nuova costruzione sulla collina che sovrasta Pittsburgh, 1955

Vecchia casa a Pittsburgh, 1955

Segnale stradale a Pittsburgh, 1955

Segnale stradale a Pittsburgh, 1955

Ricevimento a Pittsburgh, 1955

Forno Martin-Siemens per l'acciaio, Pittsburgh 1955

"Città fumosa" (Pittsburgh), 1955

"Dalla finestra da cui a volte guardo... ". (titolo di Smith per un servizio
pubblicato da *Life* come "Dramma sotto una finestra di città", 10 marzo 1958)

Il negozio di fiori. Da "Dalla finestra da cui a volte guardo... "

"Primo giorno di primavera". Da "Dalla finestra da cui a volte guardo... "

"Occhi di folle", Haiti 1959. (Smith coscienziosamente annotò che questo paziente in seguito sarebbe guarito con una terapia a base di medicinali)

Ospedale psichiatrico haitiano, 1959

Donna haitiana e decorazione di Duvalier, 1959

Pescatori con la preda, Minamata 1972

Vittime della "malattia Minamata", Giappone 1972

Vittime della "malattia Minamata", Giappone 1972

Vittime della "malattia Minamata", Giappone 1972

"Tomoko nel bagno", Minamata 1972

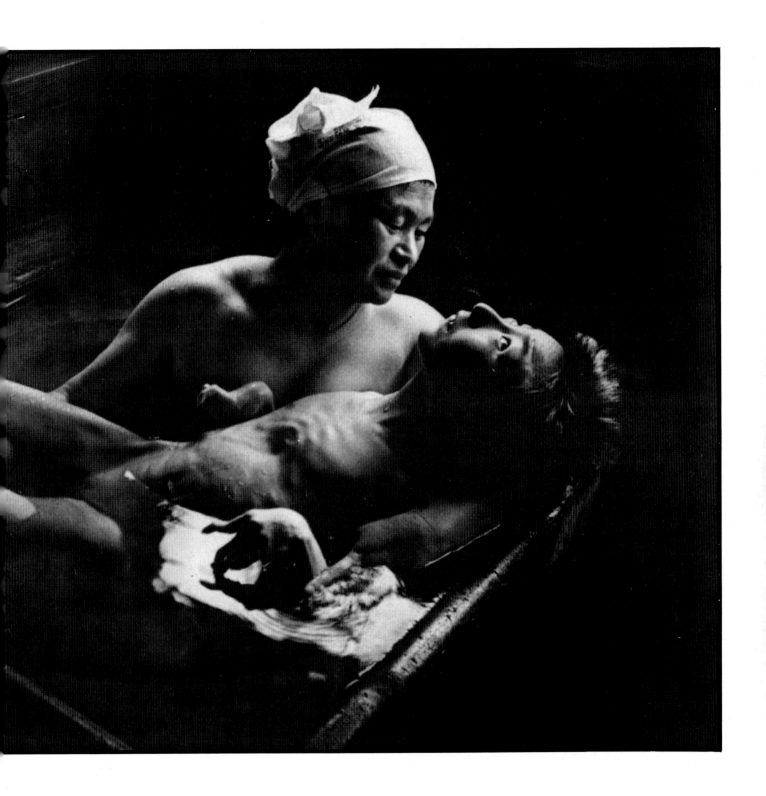

"La passeggiata al giardino del Paradiso", 1946

VERSO IL GIARDINO DEL PARADISO

... la fotografia di due bambini che passeggiano. Albert Schweitzer ne teneva una copia a una parete del suo ospedale in Africa. In tutte le caserme dell'esercito ce n'è una copia appesa accanto alle pin-up. Una volta un soldato giapponese che la vide, scrisse: «La tenni a lungo in mano e la guardai finché gli occhi non mi si riempirono di lacrime... Sono desolato per quello che ho fatto». Edward Steichen scelse quest'immagine per chiudere il libro "La famiglia dell'uomo". È probabilmente l'immagine più popolare del secolo. Ora il fotografo ci racconta personalmente la sofferta storia di quella fotografia...

di W. Eugene Smith

... I bambini nella foto sono i miei bambini, e il giorno in cui ho ripreso questa immagine, non ero sicuro di essere ancora in grado di fare fotografie.

C'era stata la guerra — ora sembra passato tanto tempo da quella guerra chiamata "Mondiale/volume II" — e durante il mio tredicesimo sbarco nel Pacifico, dei frammenti di granata avevano posto fine alla mia registrazione fotografica di quegli avvenimenti. Due anni di pena e di impotenza seguirono quelle ferite multiple, e durante quel periodo dovetti costringere il mio spirito irrequieto a uno stato di passività, di non-creatività, mentre i medici, con le loro numerose operazioni, cercavano gradualmente di rappezzarmi...

Ed ecco, quel giorno avrei fatto lo sforzo di rigettare due anni di vuoto. Quel giorno, per la prima volta da che ero rimasto ferito, avrei chiesto di nuovo alla macchina fotografica di funzionare per me, avrei cercato di costringere il mio corpo a controllare i meccanismi della macchina fotografica: e, al tempo stesso, avrei cercato di ordinare al mio spirito creativo di uscire dal suo esilio.

In maniera pressante, qualcosa esigeva che questa prima fotografia riuscisse — voglia Dio che io abbia abbastanza forza fisica da spingere il rullino della pellicola dentro la macchina! Ero determinato ad assicurare a questa prima fotografia qualcosa di più che una buona realizzazione tecnica.

Avevo deciso che dovesse parlare di un momento delicato di vivida purezza, in contrasto con l'orrenda barbarie contro cui mi ero scagliato con le mie foto di guerra — le ultime che avevo fatto.

Sentivo quasi una frenesia in questa determinazione, nell'ostinata decisione che, per qualche motivo, questo primo scatto dovesse avere un carattere particolare.

Non ho mai ben capito perché dovesse essere così, perché dovesse essere proprio il primo e non il secondo; perché, se non l'avessi ottenuto quel giorno, non avrei potuto riuscirci la settimana dopo; comunque, quel giorno sfidai me stesso a farlo, contro i miei nervi, contro la mia ragione.

Era per provare che nonostante tutto ero in grado di darmi una disciplina? Era orgoglio, o forse una sciocca, smisurata presunzione nella valutazione della mia abilità? O era semplicemente la paura di non riuscire mai più a ritrovare la forza dell'immaginazione, la flessibilità fisica così indispensabile al mio lavoro; o, peggio, la paura di avvizzire, inutile peso contorto per la mia famiglia, e per il mondo!

Quale che fosse il motivo — probabilmente più un complesso di motivi che uno solo — sentivo, pur senza essere in grado di definirlo con chiarezza, che quello sarebbe stato il giorno di un'importante decisione spirituale.

Biografia

1918

Nasce il 30 dicembre a Wichita, Kansas, secondo figlio di William H. e Nettie Lee Smith

1924-1935

Frequenta la scuola cattolica. Primi tentativi fotografici e dal 1934 si mette a fotografare freneticamente per essere pubblicato nella *Wichita Eagle*

1936-1937

Si trasferisce alla scuola pubblica. Suicidio del padre. Entra all'università di Notre Dame, Indiana, lavorando come fotografo. Dopo un semestre la lascia per il New York Institute of Photography. Sua insegnante è Helene Sanders. In settembre va a lavorare per *Newsweek*

1938-1942

Lascia *Newsweek*, entra nell'agenzia fotografica Black Star e inizia un periodo febbrile e produttivo. Vende più di 370 fotografie o reportage durante i successivi quattro anni per *American, Collier's, Coronet, Cue, Fortune, Friday, Harper's Bazaar, Illustrated, Ken, Life, Look, New York Times, Picture Post, Se, Time* e altri. Nel 1939 firma un contratto con *Life* per lavorare due settimane al mese. Sposa Carmen Martinez nel 1940. Dal 1939 al 1943 *Life* pubblica 81 fotografie o reportage. *Collier's* pubblica 75 articoli nello stesso periodo; fa le prime sequenze fotografiche a colori per *Collier's*, ma preferisce il bianco e nero. Nel 1942 lascia *Life*. Dal 1942 al 1943 lavora per un nuovo settimanale, *Parade*. Pubblica su questa rivista più di 40 grandi servizi

1943-1944

Entra nello staff della rivista *Flying* come corrispondente di guerra nel Pacifico Meridionale e viene assegnato alla portaerei *Independence*, per essere subito trasferito alla *Bunker Hill*. Dall'aereo fotografa la battaglia di Wake Island, Rabaul, Tarawa e la campagna delle isole Marshall. Compie sedici missioni di volo prima di ritornare con la *Bunker Hill* a San Francisco nel marzo del 1944

1944-1945

Mostra di fotografie di guerra al Museum of Modern Art di New York. Viene intervistato dalla televisione (CBS). Ritorna a lavorare per *Life*. Viene rimandato nel Pacifico Meridionale. Esegue il reportage sull'invasione di Saipan e Guam, sul primo raid aereo su Tokyo dalla portaerei, sull'invasione di Iwo Jima e della battaglia di Okinawa. Nel maggio del 1945, durante la 13ª campagna di Okinawa, viene gravemente ferito da una granata

1945-1947

Subisce vari interventi chirurgici prima di rimettersi dalle ferite. Pubblica molte interviste e articoli. Tiene una grande mostra al New York Camera Club. Collabora con l'American Society of Magazine Photographers e il Photo League di New York. Dopo aver eseguito alcuni servizi commissionati da *Life*, entra nella redazione della rivista a tempo pieno

1947-1955

Sono gli anni produttivi e creativi di *Life*. Fotografa approssimativamente una cinquantina di avvenimenti. Realizza i più grossi servizi: *Folk Singers* (1947), *Trial by Jury* (1948), *Country Doctor* (Medico di paese) (1948), *Hard Times on Broadway* (1949), *Life without Germs* (1949), *Recording Artists* (1951), *Spanish Village* (Villaggio spagnolo) (1951), *Nurse Midwife* (Infermiera levatrice) (1951), *Chaplin at Work* (1952), *The Reign of Chemistry* (1953), *My Daughter Juanita* (1953), e *A Man of Mercy* (Un uomo di carità) (1954). Nel 1954 dà le dimissioni da *Life*, che divengono effettive un anno dopo. Nel 1955 muore la madre

1956-1958

Entra nell'agenzia Magnum. Inizia il progetto *Pittsburgh*, per la maggior parte autofinanziato, ma coadiuvato per due anni da una borsa di studio postuniversitaria della John Simon Guggenheim Memorial Foundation (1956-1957). Produce circa 10.000 negativi, 2.000 prove di stampa e tre serie complete ciascuna di più di 400 prove definitive di stampa per questa ricerca. Alla fine escono trentotto pagine, compreso il testo, pubblicate col titolo "*Labyrinthian Walk*" nel *1959 Photography Annual* (1958). È del 1956 il primo grosso lavoro a colori su commissione per l'American Institute of Architects Centennial Exhibition. Dieci diapositive (alcune più alte di 5 metri) sono proiettate alla National Gallery of Art di Washington.

Nel 1957 stabilisce il suo studio in una soffitta della Sesta Avenue di New York e lascia la famiglia. Inizia la serie di servizi *As from my window I sometimes glance...* (Dalla finestra da cui a volte guardo...) e *The loft from inside in...* Parte della prima serie viene pubblicata da *Life* (10 marzo 1958). Nello stesso anno tiene un corso *Photography made difficult* alla New School for Social Research di New York. Fotografa *Atoms for Peace* per la Conferenza di Ginevra. Gli viene conferito il titolo di uno dei "10 più grandi fotografi del mondo" da un comitato internazionale organizzato dalla rivista *Popular Photography*. Comincia il servizio sulla clinica psichiatrica di Haiti. Lascia la Magnum. Appare con il fotogiornalista Dan Weiner nel programma televisivo *The press and the people*, prodotto dalla WGBH TV di Boston. Inizia l'enorme libro autobiografico *The Walk to Paradise Garden* (La passeggiata al giardino del Paradiso)

1959-1969

Ottiene una speciale citazione alla III Conferenza Annuale del Fotogiornalismo. Riceve il premio Cliff Edom Founders. Termina il servizio sulla clinica psichiatrica di Haiti. Non sta bene. Insegna in scuole private. Ha inizio il decennio di conferenze e di mostre. Completa nel 1961 l'impaginazione del libro *The Walk to Paradise Garden* (mai pubblicato). Viene incaricato dalla giapponese Hitachi per un servizio. Inizia un anno pieno di speranze in Giappone. *Hitachi Reminder* e *Japan - A Chapter of Image* vengono pubblicati in Giappone. Nel settembre 1962 ritorna negli Stati Uniti. Il servizio "*Colossus of the Orient*" esce su *Life* il 30 agosto 1963. Nello stesso anno tiene un seminario al Rochester Institute of Technology. L'anno successivo viene designato alla presidenza del Comitato della Fotografia. Lavora con Carole Thomas alla preparazione di *Sensorium*, rivista di fotografia e altri mezzi di comunicazione, che non riuscirà mai a pubblicare. Dal 1966 al 1969 è lo special editor della rivista *Visual Medicine*, per reportage scientifici; perde il posto quando la rivista viene venduta. Gli viene commissionato dall'Hospital for Special Surgery di New York un lavoro fotografico sui suoi servizi. Nel 1966 tiene un workshop all'Università dell'Oregon; l'anno successivo tiene il discorso programmatico all'Università del Colorado per la Society for Photographic Education. È al simposio di fotografia dell'Expo' del 1967. Nel biennio 1968-1969 insegna alla Cooper Union di New York. Continua a non star bene di salute. Ottiene il divorzio. Riceve il raro onore della terza borsa di studio postuniversitaria dalla Fondazione Guggenheim. Viene pubblicata da Aperture la monografia *W. Eugene Smith: His Photographs and Notes*

1970-1971

Viene inserito nell'albo d'onore della American Society of Magazine Photographers. Tiene la più grande mostra retrospettiva al Museo Ebraico di New York: *Let Truth Be the Prejudice*. La mostra viene portata in Giappone da Smith e Aileen Mioko Sprague. Nel 1971 ne viene stampato un portfolio di 16 stampe edito a Tokyo. Va a Minamata e inizia a documentare le conseguenze provocate laggiù dall'inquinamento industriale per avvelenamento di mercurio. Sposa Aileen

1972-1975

Il progetto Minamata continua — con fotografie, pubblicazioni, mostre nel corso dei lavori e più di una dozzina di articoli sull'inquinamento sui giornali di tutto il mondo: *Death flow from a pipe* (*Life*, 2 giugno 1972), *Le document du sauvage: Minamata* (*Le Sauvage*, settembre 1973), *Pollution's Child* (*Sunday Times*, Londra 18 novembre 1973), *Special Issues: the complete Minamata Essay* (*Camera 35*, aprile 1974) ecc. Nel 1973 esce a Tokyo un portfolio di 13 stampe *Minamata: Life-Sacred and Profane*. Nel 1975 viene pubblicato *Minamata* da Holt, Rinehart & Winston. Il libro ottiene un grosso successo (più di 150 ristampe in tutto il mondo). I vari progetti avevano ottenuto un grosso impatto ovunque. Riceve molti premi tra cui A.J. Liebling Rosebud, Robert Capa Medal dall'Overseas Press Club, World Understanding dalla School of Journalism dell'Università del Missouri, Kansan of the Year (1975). Tiene molte lezioni, concede interviste, fa apparizioni televisive, mostre e seminari. Nel 1975 alla Conferenza di Arles è il conferenziere di spicco. Divorzia da Aileen

1976-1977
Tiene ancora delle lezioni. Esce un portfolio in edizione limitata *W. Eugene Smith: A portfolio of ten photographs*, pubblicato dalla Witkin-Berley. Partecipa a un seminario al Wellesley College sul tema *Photography within the Humanities*. In novembre va a Tucson, in Arizona, per insegnare all'Università dell'Arizona e organizzare il suo archivio presso il Center for Creative Photography dell'università. A dicembre viene colpito da un attacco quasi fatale

1978
Tre servizi vengono ristampati in *Great Photographic Essays from Life*, da Maitland Edey. Tiene una mostra, *Photography by W. Eugene Smith*, al Victoria and Albert Museum di Londra, che successivamente viene portata attraverso l'Europa. Viene ricoverato dolorante, in stato di confusione mentale. Benché molto malato e gravemente danneggiato nel fisico da una nuova crisi, a settembre inizia a insegnare in un seminario. Il 15 ottobre ha un nuovo colpo e questa volta è fatale.
Più di una cinquantina di necrologi escono in tutto il mondo.
Viene creata la W. Eugene Smith Foundation

Bibliografia

Libri

Spanish Village, (portfolio), New York 1951
"Walk to Paradise" in *Art and Artists*, Berkeley, Università della California, 1956
Hitachi Reminder, Tokyo 1961
Japan: A Chapter of Image. A Photographic Essay, con Carole Thomas, Tokyo 1963
"W. Eugene Smith" in *Photographers on Photography: a critical anthology*, ristampa di precedenti servizi pubblicati su altre riviste, Englewood Cliffs, New Jersey 1966
W. Eugene Smith: His Photographs and Notes, New York 1969
W. Eugene Smith: Let Truth Be the Prejudice, (portfolio), Tokyo 1971
To Gather a Life, con Aileen M. Smith, Tokyo 1973
W. Eugene Smith. Minamata: Life - Sacred and Profane, (portfolio), Tokyo 1973
Minamata, con Aileen M. Smith, New York 1975; Tokyo 1980
"W. Eugene Smith" in *Photography within the Humanities*, Danbury, N.H. 1977
"W. Eugene Smith: Forthy Years of Experience" in *Darkroom*, New York 1977
W. Eugene Smith: A Portfolio of Ten Photographs, New York, 1977
Venezia 79 - La Fotografia, A.A.V.V., Milano 1979
W. Eugene Smith: Master of the Photographic Essay, testo di William S. Johnson, New York 1981

Riviste

Life, New York dal 1944 al 1972
"The Kid Who Lives Photography" di Peter Martin in *Popular Photography*, New York (luglio) 1943
"Salon Section: Camera on a Carrier. W. Eugene Smith War Photographer in South Pacific..." di John R. Whiting in *Popular Photography*, New York (giugno) 1944

"W. Eugene Smith's Spain" di Jacquelyn Judge in *Modern Photography*, New York (dicembre) 1951
"Fotografi stranieri famosi (25): 'Villaggio Spagnolo'" in *Asahi Camera*, maggio 1952
"W. Eugene Smith" di Fritz Neugass in *Camera*, Zurigo (giugno, luglio) 1952
"W. Eugene Smith; an exclusive portfolio of his unpublished photographs" in *Popular Photography*, New York (ottobre) 1952
"Six Portfolios: W. Eugene Smith" di Lew Parrella in *U.S. Camera Annual 1956*, New York 1955
"W. Eugene Smith talks about lighting" di Arthur Goldsmith in *Popular Photography*, New York (novembre) 1956
Da *"Villaggio spagnolo"* e *"Infermiera levatrice"* e *"I fotografi di Life"* di Natsuya Mitsuyoshi in *Camera Mainichi*, febbraio 1957
"The World's Ten Greatest Photographers..." in *Popular Photography* New York (maggio) 1958
"Pittsburgh - W. Eugene Smith's Monumental Poem to a City" in *1959 Photography Annual*, New York 1958
"The Photojournalist" di Eugene Smith e Dan Weiner in *Infinity*, New York (maggio) 1959
"La tecnica dell'illuminazione di W. Eugene Smith" in *Popular Photography ed. italiana*, Milano (settembre) 1960
The Myth Named Smith" di Emily A. Mack in *Camera 35*, New York (dicembre-gennaio) 1960
"W. Eugene Smith Teaches Photographic Responsability" di Bill Pierce in *Popular Photography*, New York (novembre) 1961
"Gene Smith e la responsabilità del fotografo" in *Popular Photography ed. italiana*, Milano (dicembre) 1961
"W. Eugene Smith: 12 unpublished pictures" di H.M. Kinzer in *Popular Photography Annual 1962*, New York 1961
"Kameari Workers' Spirit", *"Gene in Japan"* in *Age of Tomorrow 4*, Tokyo (febbraio) 1962
"Modernization in motion" e *"Monorail: A Third Dimension in Land Transportation"* in *Age of Tomorrow 5*, Tokyo 1962

"Un fotografo che venne in Giappone — Eugene Smith al lavoro" di Masato Nishiyama, Jun Morinaga e Kozo Amano, in *Asahi Camera*, (giugno) 1962

"Un portfolio informale" (alcune fotografie del servizio alla Hitachi, scelte e commentate dall'autore in giapponese; sono a colori) in *Asahi Camera* (agosto) 1962

"Un uomo chiamato Eugene Smith" e "Discussione con Eugene Smith" e "Eugene Smith: lavori scelti da Smith dalla sua collezione" in *Canon Circle*, Tokyo (febbraio) 1962

"Alla ricerca dell'umanità: Eugene Smith" di Kimiyo Takeda in *Photo Art*, Tokyo 1962

"W. Eugene Smith" di Piero Raccanicchi in *Popular Photography ed. italiana*, Milano (febbraio) 1963

" 'Images of War: Robert Capa' A Review by Eugene Smith" in *Infinity*, New York (luglio) 1964

"W. Eugene Smith" di H.M. Kinzer in *Popular Photography*, New York (febbraio) 1965

"Shooting without stopping: photographs by Eugene Smith" in *Popular Photography*, New York (agosto) 1965

"One whom I admire, Dorothea Lange (1895-1965)" in *Popular Photography*, New York, (febbraio), 1966

"... a great unknown photographer — W. Eugene Smith" di David Vestal in *Popular Photography*, New York (dicembre) 1966

"Eugene Smith: l'uomo e il suo lavoro" in *Komura's Eye*, Tokyo 1968

"W. Eugene Smith Passionate involvement with Life" di Wilson Hicks in *Modern Photography*, New York (gennaio) 1970

"W. Eugene Smith" in *Album*, Londra (marzo) 1970

"W. Eugene Smith: Conscience of the Print" e "The Technique of W. Eugene Smith" in *Camera 35*, New York (aprile-maggio) 1970

"Why Does W. Eugene Smith Write on Walls?" di John Durniak, in *Popular Photography Annual 1971*, New York 1970

Asahi Camera, maggio 1972

"An In-Progress Report On Chisso-Minamata Disease" di Eugene Smith e Aileen M. Smith in *Asahi Camera*, ottobre 1972

"Mio marito, Eugene Smith" di Aileen M. Smith in *Fujin Koron*, febbraio 1972

"L'operatore che mette a nudo la verità e l'ostinato amore per la vita" di Kyoko Kato in *Fujin no Tomo*, giugno 1973

"Special Feature: Minamata Japan; An Essay on the Tragedy of Pollution and the Burden of Courage" di Eugene Smith e Aileen M. Smith in *Camera 35*, New York (aprile) 1974

"Minamata. The Tragedy and the Courage..." in *Minolta Mirror 1975* Osaka 1974

"Eugene Smith: la luce artificiale" di Mauro Ruffini in *Fotopratica*, Milano (novembre) 1975

"Camera 35 Interview: W. Eugene Smith" di Casey Allen in *Camera 35* New York (agosto-settembre) 1976

"How W. Eugene Smith Shoots and Prints" di W. Eugene Smith in *Popular Photography*, New York (febbraio) 1977

"Rebel with a Camera: Look Wath's Endured" di Jim Huges e "Image of Truth: A Photographer's Creed: Word and Pictures by W. Eugene Smith" in *Quest/77*, New York (aprile-maggio) 1977

Progresso Fotografico, Milano (marzo) 1978

Camera, intervista di P. Hill e T. Cooper, Lucerna (luglio, agosto) 1978

"The Nine Lives of W. Eugene Smith" di Jim Hughes e "Remembering Gene Smith" di Arthur Goldsmith in *Popular Photography*, New York (aprile) 1979

"W. Eugene Smith: In Appreciation" in *Camera 35*, New York (aprile) 1979

Photo, Milano (aprile) 1979

Progresso Fotografico, Milano (luglio, agosto) 1979

Una più completa bibliografia può essere consultata in *W. Eugene Smith: a chronological bibliography, 1934-1980* di William S. Johnson edita in due tempi: *Eugene Smith, early work* (Part 1: 1934-1951) luglio 1980; *Part 2: 1952-1980*, in un supplemento del Center for Creative Photography Research Series n° 13, Tucson (Arizona), aprile 1981 Questa bibliografia contiene più di 1.550 riferimenti.

Indice
delle illustrazioni

pag. 10	Gruppo d'assalto navale americano, Pacifico Meridionale, 1943
11	Soldato giapponese morto, Tarawa, novembre 1943
12	Madre e figlio escono dalla caverna, Saipan, giugno 1944
13	Marines americani, battaglia per Saipan, giugno 1944
14	Bambino giapponese, trovato dai marines, Saipan, giugno 1944
15	Ospedale provvisorio nella cattedrale di Leyte, novembre 1944
16	Squadra guastatori della U.S. Marine, Iwo Jima, marzo 1945
17	Ufficiale americano dà ordini, Okinawa, 19 aprile 1945
17	Un soldato prega, Okinawa, 19 aprile 1945
18	Un padre consola la moglie. Da "Medico di paese"
19	Il dottor Ceriani riflette. Da "Medico di paese"
20	Il dottor Ceriani conforta un moribondo. Da "Medico di paese"
21	Il dottor Ceriani si rilassa. Da "Medico di paese"
22	La Guardia Civil. Da "Villaggio spagnolo"
23	Donne che setacciano il grano. Da "Villaggio spagnolo"
24	Il "Villaggio spagnolo" di Deleitosa
25	La pesa delle mele. Da "Villaggio spagnolo"
25	Madre e figlio. Da "Villaggio spagnolo"
26	Contadino in casa. Da "Villaggio spagnolo"
26	Contadini in casa. Da "Villaggio spagnolo"
26/27	"Veglia spagnola". Da "Villaggio spagnolo"
27	Partecipanti alla veglia. Da "Villaggio spagnolo"
28	L'arrivo del pane. Da "Villaggio spagnolo"
29	"La filatrice". Da "Villaggio spagnolo"
30	Maude Callen vaccina. Da "Infermiera levatrice"
31	Maude Callen consola un ammalato. Da "Infermiera levatrice"
32	Maude Callen assiste una donna. Da "Infermiera levatrice"
32	Maude Callen assiste un parto. Da "Infermiera levatrice"
32/33	Maude Callen assiste un parto. Da "Infermiera levatrice"
33	Bambini osservano il neonato. Da "Infermiera levatrice"
34	Maude Callen dà un "bel vestito". Da "Infermiera levatrice"
35	Il "corso principale" di Lambaréné. Da "Un uomo di carità"
36	Il dr. Schweitzer e uno dei suoi colleghi. Da "Un uomo di carità"
37	Il dr. Schweitzer e uno dei suoi lavoratori. Da "Un uomo di carità"
37	Il dr. Schweitzer alla scrivania. Da "Un uomo di carità"
38	Una donna trasporta stoviglie, Lambaréné. Da "Un uomo di carità"
38	Donna in lutto. Da "Un uomo di carità"
39	Palizzata. Da "Un uomo di carità"
40	Membri del Ku Klux Klan, North Carolina 1951
41	Riunione del Ku Klux Klan, 1951
42/43	Membri del Ku Klux Klan accendono una "croce ardente", 1951
44	Scavi per una nuova costruzione sulla collina di Pittsburgh, 1955
45	Vecchia casa a Pittsburgh, 1955
45	Segnale stradale a Pittsburgh, 1955
46	Segnale stradale a Pittsburgh, 1955
47	Ricevimento a Pittsburgh, 1955
48	Forno Martin-Siemens per l'acciaio, Pittsburgh 1955
49	"Città fumosa" (Pittsburgh), 1955
50	"Dramma sotto una finestra di città". Da "Dalla finestra..."
50/51	Il negozio di fiori. Da "Dalla finestra da cui a volte guardo"
51	"Primo giorno di primavera". Da "Dalla finestra da cui a volte..."
52	"Occhi di folle", Haiti 1959
53	Ospedale psichiatrico haitiano, 1959
53	Donna haitiana e decorazione di Duvalier, 1959
54/55	Pescatori con la preda, Minamata 1972
56	Vittime della "malattia Minamata", Giappone 1972
57	"Tomoko nel bagno", Minamata 1972
58	"La passeggiata al giardino del Paradiso", 1946

Romeo Martinez è nato nel 1912 e ha studiato in vari paesi, tra cui Spagna, Svizzera, Italia e Francia dove si è laureato in Scienze Politiche. Dal 1933 ha lavorato nel giornalismo illustrato collaborando tra l'altro a *Le Monde Illustré, Vu, Regards*. Artefice del rilancio in campo internazionale della prestigiosa rivista *Camera*, ha organizzato le Mostre Biennali Fotografiche di Venezia dal 1957 al 1965.
Curatore della collana *Bibliothek der Photographie*, autore di numerosi libri di storia della fotografia, ha organizzato il dipartimento iconografico del Centre Pompidou di Parigi. È membro del Consiglio di amministrazione e della Commissione artistica della Société Française de Photographie e socio della Deutsche Gesellschaft für Photographie.

Bryn Campbell, nato nel 1933 in un piccolo paese vicino a Cardiff (Galles), noto al grande pubblico per la serie della BBC *Exploring Photography*, ha svolto attività sia di fotografo sia di scrittore di fotografia. Dopo aver lavorato per un anno con la Magnum, è stato fotografo ufficiale della spedizione inglese che nel 1971 attraversò il Canada per via d'acqua. Nel 1978-79 ha trascorso quattro mesi nell'isola di Sant'Elena per conto della rivista *Geo* e successivamente ha lavorato per l'*Observer Magazine*. Vice direttore di *Practical Photography* e *Photo News Weekly*, redattore di *Camera & Equipment*, vice direttore del *British Journal of Photography*, dal 1974 insegna al dipartimento fotografia del Polytechnic of Central London. È membro dell'Institute of Incorporated Photographers e della Royal Photographic Society.

I GRANDI FOTOGRAFI — SERIE ARGENTO

Direttore Editoriale
Gianni Rizzoni

Responsabile Settore Varia
Anna Setti

Comitato Scientifico
Romeo Martinez
Bryn Campbell

Testi
William S. Johnson

Traduzione
Bruno Amato

Redazione
Carla Zucchi

Art Director
Cesare Baroni

Impaginazione
Romeo Spadoni

Assistente grafico
Paola Rozza

Tecnico di produzione
Diana Castagnino

Segreteria
Cesarina Caramel
Lucia Montanari

Programmazione Editoriale
Rosanna Zerbarini, Giovanna Breggè

Controllo qualità fotolito
Silvano Caldara
Flavio Poli

Copertina a cura dell'Ufficio Pubblicità del Gruppo Editoriale Fabbri

© sulla collana 1983 Gruppo Editoriale Fabbri S.p.A., Milano

© sul volume 1983 Gruppo Editoriale Fabbri S.p.A., Milano

I Edizione 1983

Direttore Responsabile:
Giovanni Giovannini

Registrazione presso il Tribunale di Milano n. 209 del 7-5-1983

Iscrizione Registro Nazionale della Stampa n. 00262 vol. 3 Foglio 489 del 20-2-1982

Pubblicazione periodica settimanale
Anno I - N. 5
esce il venerdì

Diffusione: Gruppo Editoriale Fabbri S.p.A. - Via Mecenate 91, Milano - Tel. 50951

Distribuzione per l'Italia: A. & G. Marco s.a.s. - Via Fortezza 27, Milano - Tel. 2526

Spedizione in abbonamento postale - T.R.E. - Autorizz. Post. N. 32434/234 del 30/4/47 della Dir. Prov. P.T. di Milano - D.M. del 29/3/1946

Finito di stampare nel 1983 presso lo Stabilimento Grafico del Gruppo Editoriale Fabbri S.p.A. - Milano

Gli arretrati delle pubblicazioni del Gruppo Editoriale Fabbri sono disponibili per un anno dal loro completamento e devono essere prenotati presso le edicole

L'Editore si riserva la facoltà di modificare il prezzo nel corso della pubblicazione se costretto da mutate condizioni di mercato.